Cyfres y

Geiniog

Golygwyd gan Elin Meek.

Dyluniwyd gan Rhiannon Sparks.

Cyhoeddwyd yn 2015 gan Ganolfan Peniarth.

Ariennir yn Rhannol gan
Lywodraeth Cymru
Part Funded by
Welsh Government

Ariennir yn rhannol gan Lywodraeth Cymru fel rhan o'i rhaglen gomisiynu adnoddau addysgu a dysgu Cymraeg a dwyieithog

gan Hywel Griffiths

dyluniwyd gan Rhiannon Sparks

Pennod 1

Mis Hydref oedd hi, ac roedd y tonnau uchel yn taro a tharo ar Draeth y De yn Aberystwyth. Roedd eu hewyn gwyn fel hufen dros y tywod a sŵn y dŵr yn atseinio wrth iddo lifo drwy'r cerrig mân. Roedd y llanw uchel wedi bod, ac erbyn hyn roedd y môr yn cilio'n ôl yn araf bach.

Ryw hanner awr wedi naw yn y bore oedd hi, a'r

haul heb sbecian drwy'r cymylau o gwbl eto. Roedd y cymylau ar y gorwel yn ddigon tywyll a chrac yr olwg ac roedd ambell ddiferyn o law yn tasgu fan hyn a fan draw.

Ar y prom, y ffordd fach uwchben y traeth, cerddai Gwyn a Gwenno, a'u dwylo wedi'u stwffio'n ddwfn i'w pocedi. Roedd hi'n wyliau hanner tymor, ond roedd eu rhieni wedi dweud wrthyn nhw am fynd am dro i'r traeth. Ond beth oedd pwynt dod i'r traeth yn yr hydref? Doedd dim haul, dim hwyl, dim hufen iâ. Doedd dim byd ond gwynt, yn llosgi'r clustiau ac yn dod â dagrau i'r llygaid.

Merch dal a main oedd Gwenno, a'i gwallt cyrliog, du yn cael ei chwythu i bob cyfeiriad. Oherwydd bod Gwyn rai modfeddi'n fyrrach, roedd ychydig o

gysgod ganddo wrth ei hymyl. Roedd Gwyn yn fachgen cryf o'i oedran, a'i wallt yn goch, goch. Roedd y ddau'n ffrindiau mawr, yn byw drws nesaf i'w gilydd yn y dref ac yn cerdded i'r ysgol gyda'i gilydd bob dydd.

Cerddodd Gwyn a Gwenno yn arafach ac yn arafach, gan siarad fel pwll y môr. Am eiliad, roedd yn rhaid i'r siarad ddod i stop am dipyn wrth i'r gwynt godi eto.

Edrychodd y ddau draw at y traeth. Roedd llinell anniben o froc môr yn ymestyn ar ei hyd – rhyw hanner can metr o'r ffordd ac ychydig gamau o'r tonnau. Darnau pren o bob siâp, wedi eu golchi a'u torri a'u plygu gan y dŵr. Rhaffau oren, cewyll pysgotwyr, darnau o blastig glas, gwymon llithrig a phethau rhyfedd na wyddai Gwyn na Gwenno beth oedden nhw.

Yn sydyn, gwelodd Gwyn fflach o olau'n disgleirio yng nghanol y broc môr. Edrychodd ar Gwenno; roedd hithau wedi sylwi hefyd. Nodiodd Gwyn i gyfeiriad y fflach, a nodiodd Gwenno hefyd. Neidiodd y ddau dros y wal fach at y traeth a cherdded yn araf ac yn ofalus dros y cerrig llithrig.

Pennod 2

Roedd bag du yn gorwedd yno, ac roedd nerth y tonnau yn amlwg wedi torri'r clo. Bag lledr oedd e, yn debyg i'r un oedd gan Mrs. Jones-Parry, pennaeth yr ysgol. Yr haul yn adlewyrchu oddi ar y clasbiau metel a dynnodd sylw Gwyn. Pwysodd y ddau i lawr wrth ymyl y bag. Cydiodd Gwyn yn ei ddolen.

Ond cyn iddo allu ei agor, meddai Gwenno, 'Na, paid Gwyn, nid ni sy' biau fe.'

'Nage, ond mae pwy bynnag sy' biau fe'n debygol o fod ymhell bell o fan hyn. Pwy a ŵyr pwy sy' biau fe?'

'Oes enw arno fe?'

Edrychodd Gwyn yn ofalus ar y bag, ac yna ei droi drosodd. Roedd yn llawer trymach na'r disgwyl.

'Waw, beth yn y byd sy' yn hwn?'

'Oes enw arno fe?' gofynnodd Gwenno eto, ychydig yn ddiamynedd erbyn hyn.

'Nac oes. Wela' i ddim un, beth bynnag.'

Teimlodd Gwenno banig am eiliad. 'Beth os oes bom ynddo fe?' gofynnodd.

'Mae hwn wedi bod yn y môr ers sbel, wrth ei olwg e,' meddai Gwyn. 'Dwi ddim yn credu bod llawer o berygl i ni, hyd yn oed os oes bom ynddo fe!' Pwyllodd am eiliad. 'Dwi'n mynd i'w agor e.'

'Ocê,' atebodd Gwenno, ychydig yn betrus o hyd, 'ond dim ond er mwyn gweld pwy sy' biau fe.'

Roedd Gwyn wedi estyn am y bag bron cyn i Gwenno orffen y frawddeg. Tynnodd y bag oddi wrth y broc môr at ddarn o dywod glân. Edrychodd o'i gwmpas yn gyflym er mwyn gwneud yn siŵr nad oedd unrhyw un yn edrych. Edrychodd ar Gwenno a gwenu – 'Barod?' Nodiodd hithau, gan roi rhyw hanner gwên.

Cydiodd Gwyn yn ymyl un ochr o'r bag a'i godi. Cwympodd yr ochr honno am yn ôl ar y tywod yn drwm. Anadlodd y ddau ddim am eiliad, dim ond syllu ar gynnwys y bag. Roedd yn llawn i'r ymylon o arian papur! Bwndel ar fwndel o arian wedi'i drefnu'n daclus. Roedd y cyfan mewn bagiau plastig clir wedi'u clymu â band rwber.

'Waw!' meddai Gwyn, yn syml.

'Waw!' atebodd Gwenno.

Doedd dim un o'r ddau erioed wedi gweld cymaint o arian.

'Gwyn ... ' dechreuodd Gwenno, ond torrodd Gwyn ar ei thraws.

'Dere, eistedda fan hyn,' meddai, gan bwyntio at ymyl y bag. 'Os eisteddwn ni fan hyn, fydd neb arall yn gallu gweld y bag o'r hewl.' Eisteddodd rhwng y bag a'r ffordd, ac aeth Gwenno i eistedd yn ei ymyl.

'Gwyn, beth yw e?'

'Arian, wrth gwrs!'

'Ie, ond pa arian?'

'Beth wyt ti'n feddwl?'

'Wel, edrych! Dwi erioed wedi gweld papurau fel hyn o'r blaen!'

Cododd Gwyn un o'r pecynnau bach plastig, gwlyb ac edrych yn fanwl ar yr arian papur. Roedd Gwenno'n iawn. Roedd lliw pinc golau ar y papurau ac roedden nhw ychydig yn fwy na'r arian papur arferol. Roedd llun o'r Frenhines ar un ochr.

'Papurau hanner can punt!' meddai Gwenno. 'Welaist ti rai erioed?'

'Naddo, glei! Mae'n rhaid bod miloedd yma!' meddai Gwyn, yn gyffro i gyd. 'Beth wnawn ni â nhw?'

Pennod 3

'Mae'n rhaid i ni roi'r arian i'r heddlu, Gwyn,' meddai
Gwenno, gan godi ei llais ychydig yn uwch na'r arfer.

Edrychodd Gwyn arni a chodi ei aeliau. 'Ond
meddylia beth allwn ni ei wneud gyda chymaint â hyn o
arian!'

'Beth wyt ti'n feddwl "gyda chymaint â hyn"?
Dwyt ti ddim yn gwybod faint sy' 'ma!'

'Wel, dwi'n gwybod bod lot 'ma!' atebodd Gwyn.
'Beth am ei gyfri fe?'

Edrychodd Gwenno o'i chwmpas. Doedd neb i'w
weld ar y traeth. Er bod ceir ar y ffordd, roedden nhw'n
gwibio'n rhy gyflym i'r gyrwyr allu gweld beth oedd yn

digwydd.

'Dere 'te!' meddai hi'n frysiog.

Eisteddodd Gwyn wrth ymyl y bag a'i agor led y pen. Agorodd becyn, cydio mewn llond dwrn o'r arian papur a dechrau cyfri.

'Pum deg. Cant. Cant a hanner. Dau gant. Dau gant a hanner. Tri chant. Tri chant a hanner. Pedwar cant. Pedwar cant a hanner. Pum cant.' Edrychodd Gwyn i fyny ar Gwenno, codi ei aeliau, a gwenu. 'Ffiw!' Cydiodd mewn llond llaw arall.

Aeth deng munud heibio cyn i Gwyn orffen cyfri. Erbyn hynny, roedd dau ddeg pentwr taclus wedi eu gosod ochr yn ochr o'u blaenau, a charreg drom ar ben pob un rhag i'r gwynt eu chwythu i bob cyfeiriad.

'Reit, faint sy' gyda ni, Gwenno?'

'Mae pob pentwr yn bum cant, on'd yw e?'

'Ydy.'

'Pum cant lluosi dau ddeg ... £10 000!'

Chwibanodd Gwyn. 'Beth allwn ni ei wneud gyda

9

hwnna?'

Meddyliodd Gwenno am ei mam a'i thad, a'i chwaer fach. Am y tŷ teras bach, a'r glaw yn diferu drwy do'r gegin, a'r car bach rhydlyd oedd yn peswch a pheswch cyn cychwyn yn y bore. Byddai £10 000 yn mynd yn bell …

'Gwenno?'

'Hmm?'

'Glywest ti beth ddwedes i? Wyt ti'n meddwl y byddai £10 000 yn prynu Ferrari?'

'Na fyddai. Ddim o bell ffordd. Beth bynnag, ry'n ni'n mynd â'r arian 'ma'n syth at yr heddlu.'

'Paid â siarad dwli, Gwenno. Ni ffeindiodd yr arian 'ma. Ni sy' biau fe!'

'Nage, Gwyn. Mae rhywun wedi colli hwn.'

'Ac ry'n ni wedi'i ffeindio fe!'

'Gwyn, ry'n ni'n mynd â'r arian 'ma at yr heddlu. Dyna'r peth iawn i'w wneud,' meddai Gwenno'n bendant. 'Falle cawn ni wobr beth bynnag!'

'Ond … !' dechreuodd Gwyn brotestio ond roedd golwg mor bendant ar wyneb Gwenno, rhoddodd y gorau iddi ar ganol y frawddeg.

Cododd Gwenno un ael arno, cystal â dweud, 'Wel?'

Ochneidiodd Gwyn. 'Iawn! Dere 'te. Fe gerddwn ni draw i swyddfa'r heddlu.'

Gwenodd Gwenno, yn amlwg yn teimlo rhyddhad.

Plygodd hi wrth ochr Gwyn a oedd bellach ar ei liniau yn stwffio'r papurau'n ôl i'r bag. Caeodd Gwyn y clesbyn ar un ochr, a Gwenno ar yr ochr draw. Cododd Gwyn y bag.

'Hmm, mae'n reit ysgafn pan wyt ti'n meddwl bod £10 000 o bunnoedd ynddo fe!'

'Fe garia i fe os wyt ti'n moyn.'

'Hy! Dim gobaith,' atebodd Gwyn, a chwarddodd y ddau. 'Dere.'

Cychwynnodd y ddau i fyny'r traeth, gan gamu'n ofalus dros y cerrig anwastad wrth agosáu at y ffordd. Dringodd y ddau i'r palmant, gan anelu at yr harbwr, ac yna ymlaen ar hyd glannau'r afon tuag at yr orsaf heddlu. Wrth basio'r caffi bach glan môr wrth ymyl y traeth, synnodd y ddau wrth weld dau ddyn yn eistedd y tu allan mor gynnar yn y bore a hithau mor wyntog.

Wrth i Gwyn a Gwenno gerdded heibio, cododd y ddau ddyn a dechrau eu dilyn, ond roedd y ddau wedi cyffroi gormod i sylwi ar hynny.

Pennod 4

Ymlwybrodd y ddau ar hyd y strydoedd bychain rhwng
y traeth a'r harbwr ac anelu at Bont Trefechan. Roedd
gwylanod hyf yn crwydro o dan y ceir ac yn pigo perfedd
y sachau sbwriel du. Roedd yr haul wedi dechrau
sbecian drwy'r cymylau erbyn hyn ac roedd ei olau'n
sgleinio yn ffenestri'r tai a'r ceir. Daeth awel oer o
rywle.

Dechreuodd Gwenno deimlo'n annifyr. Doedd hi ddim yn gallu dweud beth yn union oedd yn bod. Crynodd yn yr oerfel a chodi ei hugan dros ei phen. Edrychodd o'i chwmpas.

'Beth sy'n bod arnat ti?' gofynnodd Gwyn yn ddiamynedd. 'Ry'n ni'n mynd i swyddfa'r heddlu, on'd ydyn ni?'

'Does dim byd yn bod.'

Edrychodd Gwyn arni'n gyflym, fel pe bai'n amau rhywbeth.

Cyrhaeddodd y ddau yr harbwr a cherdded reit ar hyd ei ymyl. Roedd rhaffau'n taro yn erbyn mastiau'r cychod ac ambell faner yn chwifio fan hyn a fan draw.

'Beth fyddet ti'n ei wneud â'r arian, Gwenno?' gofynnodd Gwyn mewn llais uchel, llon.

Roedd Gwenno'n amau ei fod yn trio gwneud iddi anghofio am beth bynnag oedd yn ei phoeni. Roedd hi'n ddiolchgar.

'Hmmm. Deg mil o bunnoedd! Dwi ddim yn gwybod! Wel, pum mil o bunnoedd, pe bydden ni'n ei rannu e rhyngon ni.'

'Ie, on'd ife! Ocê, pum mil o bunnoedd. Beth fyddet ti'n ei wneud?'

'Dwi'n credu y byddwn i'n rhoi peth i elusen.'

Edrychodd Gwyn yn syn arni, ond ddywedodd e ddim byd.

'Dwed fy mod i'n rhoi hanner i elusen. Faint fyddai gyda fi wedyn?' meddai Gwenno.

Meddyliodd Gwyn am eiliad. 'Dwy fil pum cant, ie?'

'Ie, dwi'n credu. Wedyn byddwn i'n rhoi mil i'n chwaer i.'

'Dim ond mil pum cant sy' ar ôl gyda ti nawr, cofia!'

'Ie – digon i gael gwyliau braf yn rhywle twym!'

Edrychodd Gwyn o'i gwmpas a chrynu. Tynnodd ei siaced yn dynnach amdano.

'Ie wir, mae hi *yn* oer, on'd yw hi?'

'Neu gallwn i dalu am drwsio to'r gegin. Neu brynu car newydd,' meddai Gwenno, fel petai heb glywed Gwyn. 'Beth fyddet ti'n ei wneud gyda'r arian?'

'Tocyn tymor Lerpwl. Un i fi, un i dad, un i 'mrawd. Cit Lerpwl. 'Na ti ddwy fil o bunnoedd wedi mynd yn fan 'na. Parti enfawr wedyn gyda lot o fwyd.'

'Faint fyddai cost y parti?'

'Pum cant, dwed.'

'Ocê, dwy fil adio pum cant ...'

'Dwy fil pum cant.'

'Iyp. Faint sy' ar ôl wedyn?'

'Dwy fil pum cant, ie?'

'Ie. Hmmm. Pâr newydd o esgidiau. Ffôn gall, yn lle *hon*.' Tynnodd Gwyn ei ffôn o'i boced. Roedd tâp du wedi ei glymu rownd y gwaelod ac roedd y sgrin wedi ei chrafu'n ofnadwy.

Gwenodd Gwenno. 'Mae hi'n gweithio, on'd yw hi?'

'Ydy, fwy neu lai!'

'Ocê, dyna ddau gan punt arall. Dwy fil pum cant, tynnu dau gant ...' cyfrifodd Gwenno.

'Dwy fil tri chant! Fe all hwnna fynd i'r banc!' cyhoeddodd Gwyn.

Chwarddodd y ddau ond cipiodd y gwynt y sŵn.

Pennod 5

Cerddodd y ddau ymlaen o dan hen Bont Trefechan ac yna i fyny i'r ffordd fawr i gyfeiriad gorsaf yr heddlu.

'O!' meddai Gwyn yn sydyn, stopio'n stond a gosod y bag ar y llawr.

'Beth?' holodd Gwenno.

'Y bag 'ma sy'n lletchwith, braidd,' cwynodd Gwyn. 'Aros eiliad.'

Roedd Gwyn newydd roi'r bag i lawr ar y palmant pan roddodd gip dros ei ysgwydd.

'Gwenno!' meddai'n bryderus.

'Beth?'

'Wyt ti'n cofio'r ddau ddyn oedd yn eistedd y tu allan i'r caffi gynnau fach?'

'Ydw ... beth sy'n bod?'

'Paid ag edrych, ... dwi'n meddwl eu bod nhw'n ein dilyn ni.'

'Ein dilyn ni? O, na!' meddai Gwenno.

'Maen nhw'n gwneud eu gorau glas i edrych yn naturiol ond pan stopion ni, stopion nhw, ac maen nhw'n edrych arnon ni nawr. Pan fyddaf i'n rhoi arwydd i ti, rhed,' ychwanegodd Gwyn.

'I ble?'

Edrychodd Gwyn o'i gwmpas yn frysiog. 'Draw at y criw mawr 'na sy'n mynd at y trên bach. Fe guddiwn ni yn eu canol nhw.'

'Ocê.' Swniai Gwenno'n ofnus iawn.

'Nawr!'

Dechreuodd y ddau redeg nerth eu traed.

'Ydyn nhw'n gwybod beth oedd yn y bag, tybed?' gofynnodd Gwenno, ei llais yn crynu.

'Dwi'n credu eu bod nhw. Efallai eu bod nhw'n aros am gyfle i fynd lawr i'r traeth i nôl y bag, ond aethon ni ato fe gyntaf,' meddai Gwyn, a'i wynt yn ei ddwrn.

Cyrhaeddodd y ddau swyddfa docynnau'r trên

bach. Roedd criw mawr o bobl yn disgwyl i gael talu am docyn. Ond cydiodd Gwyn yn llaw Gwenno a'i thynnu drwy'r goedwig o goesau, breichiau a bagiau hyd nes eu bod nhw ym mlaen y ciw. Roedd gan Gwenno ddeg punt yn ei phoced ac roedd hynny'n ddigon i dalu am y ddau docyn.

Rhedodd y ddau i eistedd i gerbyd cefn y trên ac edrych am 'nôl. Wrth lwc, roedd y trên ar fin gadael a gyda chwythiad uchel o'i gorn a ffrwydrad o fwg, dechreuodd symud.

Edrychodd y ddau allan o'r ffenest a gweld y ddau ddyn yn ceisio gwthio eu ffordd drwy'r dyrfa o bobl yn yr orsaf docynnau. Drwy lwc, roedd mamau a thadau crac yn eu hatal nhw. Ar ôl ychydig, trodd y ddau ar eu sodlau a rhedeg 'nôl i gyfeiriad y traeth.

'Diolch byth,' meddai Gwyn. 'Dyna ni wedi cael gwared arnyn nhw.'

'Ie, gobeithio,' meddai Gwenno. 'I ble mae'r trên 'ma'n mynd?'

'I Bontarfynach. Dwi'n cofio mynd arno yn yr haf, ryw ddwy flynedd yn ôl,' atebodd Gwyn.

'Fe awn ni i Bontarfynach 'te, a ffonio'r heddlu yn fan 'na. Faint o amser fyddwn ni ar y trên?'

'Dros awr, os dwi'n cofio'n iawn, er mai dim ond deuddeg milltir sydd i Bontarfynach,' atebodd Gwyn.

'O dyna fe, fyddwn ni ddim yn hir. Dwi'n meddwl ei bod hi'n well os na ffoniwn ni ein rhieni; dim ond poeni byddan nhw,' meddai Gwenno.

'Rwyt ti'n iawn,' meddai Gwyn. 'Fe arhoswn ni tan i ni siarad â'r heddlu.'

Eisteddodd y ddau yn ôl ac ymlacio, gan deimlo ychydig yn fwy diogel. Ar ôl rhyw chwarter awr, dechreuodd y trên arafu wrth ddod at orsaf fach arall.

'O na, gobeithio nad ydyn ni'n stopio fan hyn!' sibrydodd Gwenno.

'Pam?'

'Beth os yw'r dynion wedi dod ar ein holau ni? Os arhoswn ni fan hyn, falle gwnân nhw ein dal ni!'

Edrychodd Gwyn allan drwy'r ffenest. Roedd ffordd fach yn rhedeg wrth ymyl y rheilffordd, a dyna lle'r oedd car mawr du yn dod tuag atyn nhw. Trodd yn ôl at Gwenno a golwg bryderus ar ei wyneb.

'Beth sy?' holodd Gwenno.

'Fe fetiaf i mai car y ddau ddihiryn sy' y tu ôl i ni.'

'Beth wnawn ni?'

'Gobeithio ein bod ni ddim yn aros yn yr orsaf!'

Trwy ryw wyrth, doedd neb eisiau dod ar y trên yn yr orsaf fach, a neb eisiau gadael chwaith. Wrth i'r trên gyrraedd y groesffordd, sgrialodd y car du i stop a gwelodd Gwyn a Gwenno y ddau ddyn yn neidio allan ac yn chwifio eu dwylo'n grac, yn amlwg eisiau i'r gyrrwr aros. Ond clic-clacian yn ei flaen yn hamddenol wnaeth y trên ac eisteddodd Gwyn a Gwenno yn ôl yn eu seddau gan ochneidio â rhywfaint o ryddhad.

'Ry'n ni'n saff am ychydig, beth bynnag,' meddai Gwenno.

'Ydyn, ond beth wnawn ni ym Mhontarfynach? Ry'n ni ar y trên 'ma ers ugain munud ac maen nhw'n gwybod yn iawn i ble ry'n ni'n mynd!'

'Pa mor hir oedd y daith, ddwedest ti?' gofynnodd Gwenno.

'Tua awr,' atebodd Gwyn.

'Ocê, felly faint o amser sy' gyda ni i feddwl am gynllun?'

Meddyliodd y ddau am eiliad.

'Wel,' meddai Gwyn, 'ry'n ni ar y trên ers ugain munud yn barod ac mae'r daith yn para awr, felly ... 30, 40, 50, 60. Dyna bedwar deg munud i gyd.'

'Ie,' meddai Gwenno, 'mae chwe deg munud mewn awr. Mae 60 munud tynnu 20 munud yn gwneud 40 munud.'

Pe bai Gwyn a Gwenno ar drip gyda'u rhieni, neu ar drip ysgol, byddai'r ddau wedi mwynhau edrych drwy ffenestri'r trên bach a sylwi ar sut roedd y coed yn newid eu lliw. Roedd rhai'n felyn, rhai'n oren a rhai'n goch llachar. Roedd clytwaith o gaeau gwyrdd hefyd, ac afon yn nadreddu drwyddyn nhw yn y dyffryn ymhell islaw'r rheilffordd fach. Ond eistedd yno'n dawel wnaethon nhw. Roedd y ddau yn llawer rhy brysur yn ceisio meddwl am ffordd o osgoi'r ddau ddihiryn i werthfawrogi'r golygfeydd, y barcutiaid yn hedfan mewn cylchoedd mawr uwchben ac arogl y rhedyn a'r coed yn treiddio i mewn drwy'r ffenestri.

Ychydig cyn cyrraedd Pontarfynach, daeth y ffordd i'r golwg unwaith eto. Edrychodd Gwyn i fyny ati ac ochneidio mewn braw.

'Gwenno,' meddai, 'mae'r car du'n dal i'n dilyn ni.'

'O na!' meddai Gwenno ac edrych i fyny hefyd. 'Rwyt ti'n iawn. Maen nhw'n dynn wrth ein sodlau ni. Beth wnawn ni?'

Atebodd Gwyn ddim, dim ond gwasgu ei drwyn yn erbyn ffenest y trên, a meddwl.

Pennod 6

O'r diwedd, pwffiodd y trên i mewn i'r orsaf fach ym Mhontarfynach. Cododd Gwyn a Gwenno i'w adael.

Roedd Gwyn yn cofio sut roedd wedi mwynhau gweld y tair pont dros yr afon a'r rhaeadrau pan fu yno o'r blaen. Ond doedd e ddim yn meddwl am yr olygfa hyfryd wrth ddod oddi ar y trên.

'Dere, Gwenno,' meddai, gan frysio i lawr y ffordd am y bont a dal y bag yn dynn. 'Os gallwn ni guddio cyn iddyn nhw ein gweld ni, fe ffoniwn ni'r heddlu.'

'Iawn,' meddai Gwenno, gan edrych i lawr ar ei ffôn, 'ond yr unig beth yw, does dim signal wedi bod ar y ffôn ers amser. Rhaid bod y bryniau'n rhy uchel.'

'Paid â phoeni am hynny nawr,' meddai Gwyn.

Ar y gair, dyma gar mawr du yn dod o gwmpas tro yn y ffordd.

'O na! Beth wnawn ni nawr?' gwaeddodd Gwenno wrth weld y car a chlywed sŵn yr injan yn dod yn nes o hyd.

Digwyddodd popeth mewn chwinciad. Stopiodd y car, agorodd y drws a neidiodd un o'r dynion allan. Rhedodd ar eu hôl a cheisio cydio yn y bag. Ond roedd Gwyn yn barod amdano.

'Na!' gwaeddodd Gwyn yn uchel, codi'r bag a'i daro'n galed yn erbyn brest y dyn. Cwympodd y dyn am 'nôl, baglu dros y palmant a disgyn i'r clawdd. Clywodd Gwyn a Gwenno ddrws arall y car yn agor. Roedd y dyn oedd yn gyrru ar fin dod allan o'r car, felly roedd rhaid symud yn gyflym.

'Rhed!' gwaeddodd Gwyn a Gwenno gyda'i gilydd a'i baglu hi i lawr y ffordd. Roedd y gyrrwr wedi dod allan o'r car ac yn dechrau rhedeg ar eu hôl.

Wrth groesi'r bont, gwnaeth Gwyn benderfyniad pwysig. Cododd y bag yn uchel eto, a'i daflu dros y rheilen i lawr i'r afon.

'Dyna'r peth gorau i'w wneud am y tro,' meddai

Gwyn a gwylio'r bag yn hedfan i lawr. 'Fe guddiwn ni rhag y dynion a mynd i nôl y bag wedyn.'

Rhedodd y ddau tuag at westy mawr.

Ar hynny, cyrhaeddodd y gyrrwr y bont ac edrych dros ymyl y rheilen. Doedd e ddim yn gallu gweld y bag, ond roedd wedi gweld Gwyn yn ei daflu i lawr. Gadawodd i'r plant fynd, a mynd yn ôl at y car i weld sut roedd ei ffrind.

Yn y cyfamser, gwelodd Gwyn lwybr bach yn arwain rhwng waliau uchel dwy sied y tu allan i'r gwesty mawr. Tynnodd Gwenno ar ei ôl i fyny'r llwybr.

Pennod 7

Ar ôl hanner awr o eistedd yn yr un man yng nghornel un o siediau'r gwesty, roedd Gwenno'n teimlo'n ddigon diogel i sibrwd.

'Beth wnawn ni nawr? Does dim signal i'r ffôn a does dim rhagor o arian gyda fi,' meddai'n drist.

'Nac oes, wir?' gofynnodd Gwyn gyda gwên fawr. Estynnodd i boced ei got a thynnu papur hanner can punt ohoni.

'Pum deg punt! O ble daeth hwnna?' gofynnodd Gwenno'n syn.

Cochodd Gwyn. 'Stwffies i fe i 'mhoced ar y traeth.'

'Gwyn!' gwaeddodd Gwenno gan wgu arno.

'Hisht! Ocê, ocê, ddylwn i ddim bod wedi'i wneud e. Ond fe wnes i, ac mae hanner can punt gyda ni. A chyn mynd 'nôl, mae eisiau i ni ffeindio'r bag 'na!'

'Ond bydd y bag wedi hen fynd i lawr yr afon, Gwyn!'

'Falle. Falle ddim. Cred ti fi, mae eisiau i ni fynd i lawr at y rhaeadrau. Ac i wneud hynny mae'n rhaid talu punt yr un i fynd drwy'r giât.'

'Dere â'r papur hanner can punt 'na i fi,' meddai Gwenno.

'I beth?' holodd Gwyn.

'Fe gei di weld nawr,' oedd unig ateb Gwenno.

Edrychodd Gwyn o'i gwmpas a gwneud yn siŵr nad oedd
unrhyw un yn gallu ei weld. Gwthiodd y papur hanner
can punt i law Gwenno.

   'Dyma ti, 'te.'

   'Diolch,' atebodd Gwenno, wrth gipio'r papur
o'i law. Trodd a cherdded yn benderfynol tuag at y
gwesty. Wrth gyrraedd y drws, arhosodd i adael i gwpl

o bensiynwyr ddod allan yn gyntaf. Gwenodd yn bert arnyn nhw cyn mynd i mewn.

'Dyna ferch neis,' clywodd Gwyn nhw'n dweud, wrth iddyn nhw basio. Cerddodd yntau at ddrws y gwesty i weld beth yn y byd roedd Gwenno am ei wneud. Edrychodd i mewn drwy'r ffenest.

Y tu mewn, roedd Gwenno'n sefyll wrth y cownter ac yn archebu diod.

'Dwy baned o de ac un botel o oren, os gwelwch yn dda.' Roedd hi'n gwenu fel giât unwaith eto.

Nodiodd y dyn. 'Pum punt a hanner can ceiniog, plîs,' meddai, ar ôl pwyso nifer o fotymau ar y til hen ffasiwn.

'Sori, ond doedd dim newid gyda Mam,' meddai Gwenno, wrth estyn y papur hanner can punt at y dyn.

Cododd y dyn ei aeliau mor uchel, dychmygodd Gwenno eu bod am ddiflannu dros gorun ei ben moel.

'Diwedd mawr!' pesychodd.

'Sori, dyma'r lle cyntaf i ni fod ers codi'r arian yn y peiriant yn y dref,' esboniodd Gwenno.

Ond doedd y dyn ddim yn gwrando, roedd yn rhy brysur yn twrio yng nghrombil y til i'w chlywed hi.

Ymhen ychydig, trodd yn ôl at Gwenno. Gosododd un papur ugain punt ar y cownter – 'Dau ddeg …' – ac yna un arall 'pedwar deg …' yna rhoddodd bedwar darn punt ar eu pennau. 'Un, dwy, tair, pedair punt,' ac yna rhoddodd ddarn bach arian ar ben y pentwr ' … a hanner can ceiniog. Ewch â'r arian 'nôl at

Mam, nawr.'

'Mi wna i, diolch!' Cydiodd Gwenno yn yr arian, ei stwffio i'w phoced a throi i adael.

'Hei!' gwaeddodd y dyn, a rhewodd Gwenno. Oedd e am ofyn iddi ddod yn ôl, a rhoi'r arian yn ôl? Fyddai hi ddim yn gallu dadlau na dianc. Trodd yn ôl ato.

'Ble ry'ch chi'n eistedd?'

Llifodd rhyddhad dros Gwenno, ac atebodd

mewn llais bach, 'O ... ie ... sori, ar y bwrdd bach rownd y gornel. Tu fas.'

Nodiodd y dyn gan droi at y tegell. Cerddodd Gwenno at y drws, gan geisio peidio â rhedeg.

'Beth ddigwyddodd?' gofynnodd Gwyn, wrth i Gwenno ruthro heibio iddo.

'Dim ots am nawr. Dere, rhed cyn i'r dyn 'na ddod â'r archeb a gweld bod neb 'ma!'

Cydiodd Gwenno yn ei law a'i dynnu i gyfeiriad y bont a'r rhaeadrau. Rhedodd y ddau nes eu bod wedi mynd rownd y gornel ac o olwg y gwesty. Arafodd Gwyn rhag ofn, ond roedd y car wedi mynd, a doedd dim golwg o'r ddau ddyn.

'I mewn fan hyn,' sibrydodd Gwenno, gan lusgo Gwyn i gysgod coeden enfawr.

'Hei, wyt ti eisiau arafu ychydig ac esbonio beth rwyt ti'n trio ei wneud?' gofynnodd Gwyn, ychydig yn grac.

'Mae angen i ni fynd i lawr fan 'na, on'd oes? I nôl yr arian?' meddai Gwenno, gan amneidio tuag at y rhaeadrau.

'Oes.'

'Ac er mwyn mynd drwy'r giât, mae angen darn punt yr un arnon ni.'

'Oes.'

'Dyma ti,' meddai Gwenno, a gwthio darn punt cynnes i'w law gyda gwên.

Gwenodd Gwyn yn ôl arni.

Pennod 9

Gwthiodd y ddau drwy'r hen giât rydlyd, swnllyd a
dechrau mynd i lawr y llwybr oedd yn arwain at y
rhaeadrau. Uwch eu pennau roedd tair pont uwch yr
afon yn taflu cysgod dros bob dim. Roedd y rhaeadr yn
rhuo i lawr i'r dde a gallai'r ddau weld cymylau o ddŵr
yn codi o'r afon. Roedd popeth yn llaith – y rhedyn a'r
coed o gwmpas y llwybr, y cerrig o dan eu traed. Ymhen
dim o dro, roedd eu dillad yn wlyb diferol. Cerddodd y

ddau'n ofalus, ofalus i lawr y grisiau. Cydiodd Gwenno yn llaw Gwyn a chydiodd hwnnw yn y canllaw metel oedd wrth ochr y llwybr.

'Wyt ti'n siŵr fod y bag yn mynd i fod yma, Gwyn?' gofynnodd Gwenno.

'Nac ydw, ond fe gawn ni weld. Mae siawns dda ei fod wedi mynd yn sownd yn y creigiau.'

Roedd y llwybr yn arwain yn ôl ar draws y llethr serth ac i lawr at lannau'r afon. Roedd Gwyn a Gwenno ar ben eu hunain bach. Nawr ac yn y man, roedd car yn taranu dros y bont gul uwchben.

Ymhen ychydig, cyrhaeddodd y ddau y darn gwastad ar waelod y llwybr. Edrychon nhw dros ochr y canllaw bach ac i lawr i grombil y ceudwll mawr tywyll. Roedd y dŵr yn cwympo i lawr yn rhaeadrau serth, ac roedd glannau'r afon yn greigiog, llyfn a sgleiniog. Roedden nhw'n edrych fel petai'r afon wedi bod yn eu golchi a'u sgwrio bob dydd ers miloedd ar filoedd o flynyddoedd.

Roedd y dŵr yn troi oddi tanynt yn y twll a gwyliodd Gwyn a Gwenno yr afon yn plymio o dan y tair pont uwch eu pennau. Yno, roedd y creigiau'n mynd yn nes at ei gilydd unwaith eto, gan greu bwlch cul, cul. Roedd mor gul fel na allai Gwyn a Gwenno weld rhyw lawer ar yr ochr draw. Roedd Gwyn yn gwybod bod yr afon yn disgyn i lawr cyfres o raeadrau'r ochr arall i'r bwlch. Os oedd yr afon wedi cario'r bag drwy'r bwlch cul, roedd wedi mynd am byth.

Craffodd y ddau ar y dŵr a gwaeddodd Gwyn, 'Dyna fe! Wyt ti'n ei weld e?'

Roedd y bag yn arnofio ar wyneb y dŵr, a thonnau'r afon yn erbyn y creigiau yn ei godi a'i ostwng yn rhythmig.

'Grêt!' atebodd Gwenno. 'Ond sut yn y byd gawn ni afael arno?'

Diflannodd y wên o wyneb Gwyn am eiliad wrth iddo feddwl am ateb. Edrychodd o gwmpas yn wyllt a goleuodd ei lygaid.

'Edrych, Gwenno,' meddai. 'Cangen sydd wedi

cwympo oddi ar goeden adeg storm rywbryd. Gallwn ni ei defnyddio hi i gael gafael ar y bag. Helpa fi i'w chodi hi a gweld pa mor hir yw hi.'

Gwnaeth y ddau ymdrech fawr i godi'r gangen gyda'i gilydd.

'Mae hi'n ddigon hir, diolch byth,' meddai Gwyn.

'Reit, beth nawr?' gofynnodd Gwenno.

'Pysgota!' atebodd Gwyn gyda gwên.

Pwysodd Gwyn yn erbyn y canllaw ac ymestyn drosodd mor bell ag y gallai.

'Bydd yn ofalus!' siarsiodd Gwenno.

'Dal di yng nghefn fy nghot i, 'te, Gwenno,' meddai Gwyn.

Cydiodd Gwenno yng nghot Gwyn a rhoi ei throed yn erbyn y canllaw metel. Wrth i Gwyn ymestyn tuag ymlaen, tynnodd Gwenno ei got am yn ôl er mwyn gwneud yn siŵr nad oedd yn cwympo i mewn dros y creigiau milain i'r dŵr oer islaw.

Gafaelodd Gwyn yn un pen o'r gangen ac ymestyn y pen arall i gyfeiriad y bag. Cael a chael oedd hi. Roedd y dŵr yn dal i symud y bag i fyny ac i lawr ac o ochr i ochr, fymryn y tu hwnt i'r wialen bysgota fach.

'Bron ... â ... chyrraedd ... ,' ebychodd Gwyn, a'r straen ar ei wyneb yn amlwg.

Cododd y dŵr y bag unwaith eto ac yn sydyn roedd y ddolen fach o fewn gafael. Gwthiodd Gwyn y gangen fach drwy'r ddolen a thynnu â'i holl nerth.

'Tynna fi 'nôl, Gwenno!' gwaeddodd. Rhoddodd

Gwenno blwc caled i got Gwyn a gwelodd y gangen yn codi fry i'r awyr uwchben yr afon. Daliodd Gwyn ei afael ynddi a llithrodd y bag i lawr y gangen a dal mewn brigyn bach hanner ffordd i lawr.

Cwympodd Gwyn am yn ôl a glanio ar ben Gwenno.

'Wff,' ochneidiodd hithau.' Cwympodd y gangen i lawr wrth eu hymyl a glaniodd y bag fodfeddi o wyneb Gwyn.

'We-hei!' gwaeddodd Gwyn. 'Fe lwyddon ni, Gwenno!'

'Ie ... grêt ... ond Gwyn, wnei di symud, plîs?'

'O ie, sori,' atebodd Gwyn, a chodi ar ei draed. Trodd i'w hwynebu, estyn ei law iddi a'i thynnu hithau ar ei thraed.

'Wyt ti'n meddwl bod yr arian yn dal yn y bag?' gofynnodd Gwenno.

'Fe gawn ni weld, ie?' Cododd Gwyn y bag ac agor y ddau glesbyn. Roedd yr arian yno o hyd, doedd e'n ddim gwaeth ar ôl cael trochfa yn yr afon.

'Ffiw!' ochneidiodd Gwenno. 'Dwi'n falch nad yw'r ddau ddyn wedi cael gafael arno.'

'Paid â dathlu eto,' meddai Gwyn, a golwg ddifrifol ar ei wyneb. 'Ry'n ni'n dal i fod yn bell, bell o'r orsaf heddlu, cofia.'

Atebodd Gwenno ddim. I'r tawelwch rhwng y ddau, daeth dwndwr yr afon yn rhuthro drwy'r ceunant.

Pennod 10

'Sut awn ni 'nôl o fan hyn?'

Roedd y ddau'n eistedd yng nghornel bellaf caffi bach wrth ymyl ffordd. Roedd y bag (a oedd yn dal i fod ychydig yn wlyb) o dan y bwrdd, ac roedd Gwyn wedi ei wasgu rhwng ei goesau. Edrychodd Gwyn i fyny gyda brechdan facwn yn ei geg. Roedd sos coch yn rhedeg i lawr ei ên.

'Ceee-ed?' mwmiodd drwy'r cig a'r bara.

'Esgusoda fi?' gofynnodd Gwenno, gan grychu ei

thrwyn.

Llyncodd Gwyn yn ddramatig, torri gwynt ychydig bach, ac ailadrodd, 'Cerdded?'

'O, ro'n i'n meddwl dy fod ti'n mynd i ddweud rhywbeth o werth fan 'na,' atebodd Gwenno'n ddiamynedd. 'Dy'n ni ddim yn cerdded yn ôl o fan hyn. Fyddwn ni ddim yn ôl cyn y Nadolig, heb sôn am heno!'

Yn hytrach nag ateb, cydiodd Gwyn yng ngweddill y frechdan a'i stwffio i'w geg. Roedd y ddau wedi sleifio drwy'r pentref ar ôl dod yn ôl o'r rhaeadrau. Roedd y caffi bach wedi edrych yn weddol brysur, felly meddyliodd Gwenno ei fod yn lle da i guddio.

'Pe byddai'r lle'n wag, bydden nhw'n siŵr o'n gweld ni. Dere,' a llusgodd hi Gwyn ar ei hôl i mewn i'r caffi.

Roedd y ddau wedi mynd at y cownter ac wedi archebu brechdan facwn a sudd oren. Roedd Gwenno wedi defnyddio un o'r papurau ugain punt oedd ganddi.

'Deg punt plîs,' meddai'r fenyw yn swta. Rhoddodd Gwenno yr arian papur iddi a chael papur deg punt yn ôl yn newid.

'Hmff, brechdan ddrud,' meddai Gwyn o dan ei wynt.

Gwyliodd Gwenno wrth i Gwyn gladdu gweddill y frechdan. Sbeciodd allan drwy'r ffenest ac yn sydyn, cododd y fwydlen o'u blaenau fel ei bod yn cuddio eu hwynebau'n llwyr.

'Beth rwyt ti'n wneud?' gofynnodd Gwyn mewn

syndod. 'Wyt ti eisiau pwdin neu rywbeth?'

'Na! Mae un o'r dynion newydd basio. Dwi ddim yn credu iddo fe ein gweld ni.'

'Ffiw. Lwcus.'

'Ie. Ond gwranda Gwyn,' meddai Gwenno'n ddifrifol, 'mae'n rhaid i ni ddod o hyd i ffordd o 'ma. Mae'n rhaid i ni fynd 'nôl i Aber a mynd at yr heddlu cyn gynted ag y gallwn ni.'

'Iawn. Cytuno. Beth wnawn ni?'

'Mae car gyda nhw, on'd oes?' meddai Gwenno.

'Oes,' atebodd Gwyn.

'Does ddim byd llawer y gallwn ni ei wneud os yw'r car yna'n gallu gyrru ar ein holau ni.'

'Ocê ... mae'n rhaid i ni ddod o hyd i ffordd adref o fan hyn. Hefyd, mae'n rhaid i ni eu stopio nhw rhag dod ar ein holau ni.'

'Yn union. Hmm ...' Edrychodd Gwenno o'i chwmpas a chydio mewn darn o bapur o'r silff ffenest yn ymyl.

'Beth sy' gyda ti yn fan 'na?' gofynnodd Gwyn.

'Hisht am funud.'

'Hei ... '

'Hisht!' meddai Gwenno, heb godi ei phen o'r darn papur.

'Amserlen bws.' Gwelodd hi'r olwg ar wyneb Gwyn. 'Oes syniad gwell gyda ti?'

Atebodd Gwyn ddim.

'Nac oes. Felly gwranda. Mae bws yn mynd mewn

ugain munud. Os gallwn ni wneud yn siŵr na fydd y car yn gallu ein dilyn ni yn y cyfamser, ac os gallwn ni ddal y bws, byddwn ni'n iawn.'

'Mae'r orsaf yn fan 'na,' ychwanegodd Gwyn, wrth godi ychydig yn ei gadair er mwyn gallu gweld dros ben y cwsmeriaid eraill.

'Ble mae'r car?'

Pwysodd Gwyn yn ôl yn ei gadair y tro hwn ac edrych mas drwy'r ffenest arall.

'Wedi parcio lan yr hewl yn fan 'na. Dwy funud o gerdded.'

'Ocê, wyt ti'n gallu gwneud rhywbeth iddo fe?' Roedd Gwenno'n edrych yn daer arno.

'Dim problem!' cydiodd Gwyn mewn fforc oddi ar y bwrdd a'i gwthio i'w boced. 'Awn ni?'

Pennod 11

Ar ôl cerdded yn gyflym allan o'r caffi, a chymryd y bag oddi wrth Gwyn, aeth Gwenno i mewn i'r siop fach drws nesa i'r caffi.

'Mae'n well bod o dan do nag yn yr awyr agored,' meddyliodd hi. Cadwodd olwg ofalus ar ei wats er mwyn gwneud yn siŵr na fydden nhw'n colli'r bws.

Wrth gerdded o gwmpas y siop yn ddiamcan, cafodd Gwenno syniad. Yng nghornel y siop roedd hen ffôn, y math a oedd yn arfer bod mewn blychau ffôn coch ar hyd a lled y wlad. Roedd hi wedi cadw golwg ar ei ffôn symudol drwy gydol yr antur, ond doedd dim signal gwerth sôn amdano yn y pentref. Felly roedd hi wedi rhoi'r gorau i'r syniad o ffonio'r heddlu. Ond nawr, roedd y ffôn yma o'i blaen.

Gweddïodd fod y ffôn yn gweithio. Croesodd y siop tuag ato. Cododd y ffôn hen ffasiwn o'i grud a'i wasgu at ei chlust. Roedd hi'n rhyddhad clywed y sŵn diflas undonog. Edrychodd o'i chwmpas a gwasgu 999.

Ar ôl i'r ffôn ganu unwaith neu ddwy, atebodd llais, 'Y gwasanaethau brys, pa wasanaeth sydd ei angen arnoch chi?'

'Yr heddlu, plîs. Fy enw i yw Gwenno, a dwi ym Mhontarfynach ... '

Cyn pen ychydig funudau, roedd Gwenno wedi llwyddo i esbonio popeth a oedd wedi digwydd y diwrnod hwnnw. Roedd y fenyw ar ochr arall y lein wedi ceisio torri ar draws unwaith neu ddwy ond daliodd Gwenno ati i siarad. Sibrydodd ei chynllun yn bendant wrth y blismones ac yna dweud – ' ... plîs, helpwch mewn rhyw ffordd. Mae'n rhaid i mi fynd. Hwyl!'

Cerddodd Gwenno yn gyflym allan o'r siop gan edrych yn sydyn ar y siopwr bach. Doedd dim arwydd bod hwnnw wedi clywed unrhyw beth a dim ond codi ei ben o'i bapur am eiliad a wnaeth wrth i Gwenno adael.

'Ble mae Gwyn, 'sgwn i?' gofynnodd o dan ei hanadl.

Ar y gair, gwelodd Gwenno Gwyn yn cerdded yn gyflym iawn i lawr y ffordd gul. Roedd ei ddwylo'n ddwfn yn ei bocedi, a'i ben i lawr.

Yn sydyn, dechreuodd pethau ddigwydd blith draphlith. Daeth trwyn gwyrdd y bws rownd y gornel a gyrru gan bwyll bach tuag atyn nhw. Roedd y bws yn wag, heblaw am y gyrrwr ac un hen ddyn a oedd yn eistedd yn y blaen.

'Dau docyn un ffordd i Aber, plîs,' meddai Gwenno'n gyflym wrth y gyrrwr.

'£8.70.'

Tynnodd Gwenno yr arian oedd ar ôl allan o'i phoced. Rhoddodd bapur deg punt ar y cownter bach.

Heb edrych i fyny, cododd y gyrrwr y papur deg punt a rhoi'r newid o £1.30 i Gwenno. Yna pwysodd fotwm neu ddau ar y peiriant a llithrodd dau docyn mas. Rhwygodd Gwenno nhw oddi ar y peiriant a'u stwffio i'w phoced. Teimlodd bwniad yn ei chefn wrth i Gwyn neidio ar y bws. Bu bron iddi ddisgyn ac edrychodd y gyrrwr

arnyn nhw mewn syndod.

'Ofn colli'r bws,' esboniodd Gwyn, a'i wynt yn ei ddwrn.

'Esgusodwch fi, plîs.' Daeth llais bach gwan o'r bws wrth i'r hen ddyn bach geisio mynd oddi arno.

'Sori,' meddai Gwyn a Gwenno gyda'i gilydd a symud o'i ffordd. Wrth i'r hen ddyn bach gamu'n drafferthus oddi ar y bws, rhedodd y ddau ddyn nerth eu traed rownd y gornel tuag atyn nhw.

'O na!' gwaeddodd Gwenno. Ond chlywodd neb, wrth i ddrysau'r bws siglo a chau, ac wrth i'r injan danio.

Roedd yn edrych yn hollol sicr y byddai'r ddau ddihiryn yn cyrraedd y bws mewn pryd i'w ddal. Ond roedd y ddau mewn cymaint o hast i gyrraedd, rhedon nhw'n syth i mewn i'r hen ddyn bach, ac mewn cybolfa o freichiau a choesau, cwympodd y tri i'r llawr.

Wrth i'r bws fynd rownd y gornel, gwelodd Gwyn a Gwenno y ddau ddihiryn yn ceisio codi ar eu traed. Yr olygfa olaf gawson nhw oedd un yn tynnu'r llall ar ei draed ac yn pwyntio i gyfeiriad y bws.

'Paid â phoeni, Gwenno, does dim gobaith caneri gyda nhw ein dal ni nawr.'

'Pam, beth wnest ti?' gofynnodd hi.

'Gadael yr aer mas o deiars y car,' meddai Gwyn

Chwarddodd Gwenno yn betrus ac eistedd i lawr. Ochneidiodd. Edrychodd y ddau ar yrrwr y bws, ond doedd ei lygaid e ddim wedi symud oddi wrth y ffordd.

Pennod 12

Hanner ffordd rhwng Pontarfynach ac Aberystwyth,
roedd dau gar heddlu wedi hedfan heibio i'r bws bach.
Esboniodd Gwenno ei bod wedi ffonio'r heddlu ac wedi
gofyn iddyn nhw anfon ceir i Bontarfynach. Roedd wedi
disgrifio'r ddau ddihiryn, ' ... felly gydag unrhyw lwc
erbyn byddwn ni yng ngorsaf yr heddlu, bydd y ddau

ddyn dan glo.'

Awr yn ddiweddarach, roedd y Prif Swyddog Alun Jones, Gwyn a Gwenno yn eistedd yng nghaffi'r orsaf heddlu. Roedd paned fawr o de o flaen pob un. Gwenodd y Prif Swyddog ar Gwyn a Gwenno.

'Diolch yn fawr iawn i chi'ch dau,' meddai'n garedig. 'Heb eich help chi, fydden ni byth wedi dal y ddau ddyn a byddai'r arian 'na, arian wedi ei ddwyn, ar y ffordd i Lundain. Ry'ch chi wedi bod yn ddewr iawn heddiw.'

Roedd y Prif Swyddog eisoes wedi esbonio bod y ddau gar heddlu wedi cyrraedd Pontarfynach wrth i'r car mawr du ddechrau ymlwybro i lawr y ffordd gyda phedair olwyn fflat. Roedd y ddau gar heddlu wedi atal y car ac roedd y ddau ddihiryn wedi dod o'r car yn dawel a phenisel. Roedden nhw'n rhan o giang o droseddwyr rhyngwladol. Erbyn hyn, roedd yr heddlu'n chwilio am y gweddill ar hyd a lled y wlad.

'Beth wnawn ni nawr, Gwyn?' gofynnodd Gwenno.

'Dwi ddim yn gwybod, Gwenno. Tro ar y traeth, efallai?' a chwarddodd pawb.

'Mae eich rhieni chi'r tu fas,' meddai'r Prif Swyddog, 'ac maen nhw eisiau eich gweld chi'n fawr iawn.' Meddyliodd am eiliad. 'Faint sydd ar ôl o'r hanner can punt 'na?' gofynnodd y Prif Swyddog. Tynnodd Gwenno yr arian mân a'r arian papur allan o'i phoced a'u gwasgaru ar y bwrdd o'i blaen.

Roedd un papur ugain punt yno.

'Dyna ugain punt,' meddai Gwyn.

Cyfrodd Gwenno ddwy bunt arall a'u gosod ar ben ei gilydd. 'Dau ddeg un, dau ddeg dau … '

Yna rhoddodd Gwyn bunt arall ar eu pen. 'Dyna bunt arall. Dau ddeg tri – felly, dau ddeg tair punt,' meddai.

'Un darn pum deg ceiniog,' meddai Gwenno.

'Dyna ddau ddeg tair punt, pum deg ceiniog!'

'Un darn ugain ceiniog ac un darn deg ceiniog!' gorffennodd Gwenno, ac roedd yr arian i gyd yn bentyrrau taclus wrth ymyl ei gilydd.

'Felly'r cyfanswm yw dau ddeg tair punt … ' dechreuodd Gwyn.

' … ac wyth deg ceiniog,' gorffennodd Gwenno.

'Cywir!' meddai'r Prif Swyddog. 'Ry'ch chi'n dipyn o dîm!'

Gwenodd Gwyn a Gwenno ar ei gilydd.

'Beth am i chi gadw'r arian yna, fel gwobr am bob dim ry'ch chi wedi'i wneud heddiw,' awgrymodd y Prif Swyddog. 'Ewch mas i gael swper heno, a digon o hufen iâ i bwdin – ry'ch chi'n ei haeddu fe.'

'Diolch yn fawr iawn!' meddai Gwyn a Gwenno gyda'i gilydd.

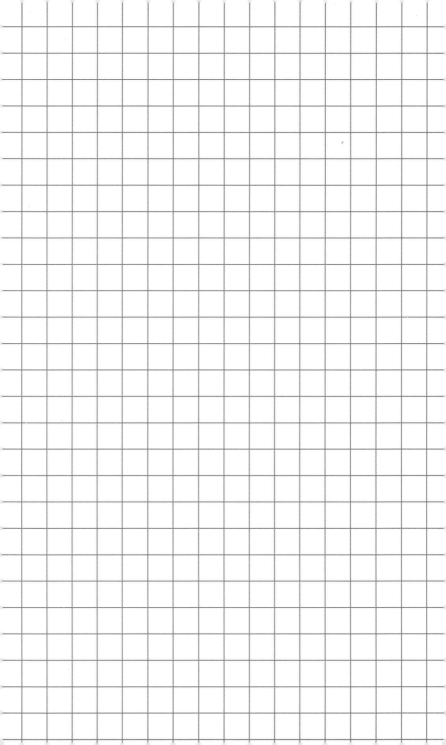